Bruno dit la vérité

Quand j'étais petit, j'ai appris à dire la vérité. Un jour j'ai cru qu'il vallait mieux cacher une de mes maladresses plutôt que de l'avouer ! J'ai vite constaté qu'il était beaucoup plus simple de tout dire; il ne restait plus qu'à trouver le moyen de réparer mon dégâts que j'avais faits!

Où maman met-elle
mes biscuits au
chocolat préférés?

Ils ne sont pas au réfrigérateur.

10
C
S

Les voilà!
Ils sont dans
l'armoire!

Oh non!
Ça tombe!

Qui a cassé le
pot de biscuits?

Est-ce toi qui a brisé la
jarre de biscuits,
Fredo?

Non, ce n'est pas moi.

Est-ce toi, Bruno?

Non.

Il n'y aura pas de collation avant
que l'un de vous deux
n'avoue sa faute.

Pourquoi je me sens si mal?

C'est moi qui ai brisé le pot
de biscuits, maman. Je suis désolé.

20
C
S

Maman est fière
de savoir que tu as
dis la vérité.
À l'avenir, tu sais
que tu ne dois pas
avoir peur de tout
me dire.

C'est l'heure de la collation; je vous offre vos biscuits préférés !